DICKENS

Su vida y su tiempo

Nicola Barber

Traducción:
Elizabeth Hahn Villagrán

TRILLAS

EL ESCRITOR Y SU ÉPOCA

El nacimiento de Charles Dickens en 1812, ocurrió en una época turbulenta de la historia inglesa. El rey Jorge III ocupaba el trono, pero su inestabilidad mental dio lugar a que su hijo Jorge, príncipe de Gales, gobernara como regente. El país estaba por cumplir 20 años de guerra con Francia y Napoleón finalmente fue vencido en la batalla de Waterloo en 1815. Por último, la Revolución Industrial cambió la forma de vivir y trabajar de la gente en Inglaterra. Estos cambios no agradaron a todos. Durante el año del nacimiento de Dickens también hubo movimientos ludistas. Los trabajadores entraron por la fuerza en las fábricas y destruyeron la nueva maquinaria que, afirmaban, los había dejado sin trabajo.

LA REVOLUCIÓN INDUSTRIAL

Inglaterra fue el primer país del mundo en experimentar los cambios que llegaron a conocerse como la Revolución Industrial. La producción a pequeña escala en talleres, que se inició a finales del siglo XVIII, comenzó a ser sustituida por la fabricación a gran escala en molinos y fábricas, usando máquinas de hilado como la que se muestra arriba. Nuevos inventos aceleraron los procesos de producción y se abrieron minas de carbón para obtener el combustible que impulsara la nueva maquinaria.

TURISTAS VICTORIANOS

A mediados del siglo XIX fue sorprendente la velocidad con que se construyeron los ferrocarriles en toda Inglaterra. La transportación sobre rieles fue mucho más rápida y económica que la de cualquier otro medio anterior; por primera vez, mucha gente pudo darse el lujo de viajar. En 1841, Thomas Cook organizó su primera excursión, alquilando un ferrocarril para transportar turistas de Leicester a Loughborough. Las excursiones de Cook adquirieron gran popularidad; esta caricatura hace mofa de las personas que participaban en ellas.

EL *ROCKET* DE STEPHENSON

La Revolución Industrial también convulsionó las formas de transportación. Se logró un gran avance con el invento de máquinas de vapor que se desplazaban sobre vías férreas. En 1825, se inauguró un ferrocarril entre Stockton y Darlington al norte de Inglaterra, demostrando así que la transportación a través de rieles podía ser eficiente y económica. George Stephenson, quien construyó este ferrocarril, obtuvo otro éxito en 1829 con su locomotora *Rocket*, durante las pruebas de locomoción de Rainhill. Un año después, se inauguró el primer ferrocarril de pasajeros del mundo que cubría la ruta Liverpool-Manchester.

GRAN EXPOSICIÓN, 1851

En 1851 se celebró la Gran Exposición en Hyde Park, Londres. Fue una idea del príncipe Alberto, esposo de la reina Victoria, para celebrar los "trabajos industriales de todas las naciones"; además de demostrar que Inglaterra era el líder mundial en todas las áreas de la industria. Se construyó un enorme edificio de vidrio, llamado el Palacio de Cristal, para la ocasión. Dickens visitó la Gran Exposición, pero no le agradó mucho y dijo que "muchas cosas me hicieron sentir desconcertado..."

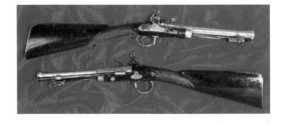

TIEMPOS TURBULENTOS

En 1839 hubo un levantamiento en Newport, Monmouthshire, que terminó en muerte y derramamiento de sangre cuando se envió al ejército a reprimir a los manifestantes. Cuando los ánimos comenzaron a caldearse, las armas empezaron a disparar. Este fue uno de los levantamientos Cartistas, los cuales ocurrieron entre 1838 y 1842. Los Cartistas adoptaron ese nombre por "La Carta del Pueblo", emitida en 1838. Exigían el derecho al voto para todos los hombres, y que éste fuera secreto, además de elecciones generales anuales. Las peticiones de los Cartistas fueron rechazadas dos veces por el Parlamento y el movimiento se extinguió, aunque algunas de sus reformas fueron aceptadas más adelante en ese mismo siglo.

CRIMEN Y CASTIGO

Los castigos severos impuestos por la sociedad victoriana como respuesta al crimen, ilustraban gran parte de los textos de Dickens. La temporada vivida por la familia en la prisión de Marshalsea dejó una profunda huella en la vida de Dickens, pero la prisión de Newgate ejerció una influencia aún mayor. Newgate también era un lugar de ejecución pública, en donde las multitudes se reunían para ver a los condenados acudir a su cita con la horca. Dickens sentía rechazo

y, al mismo tiempo, fascinación ante tal brutalidad. En *Oliver Twist*, Oliver se encuentra con Fagin en las celdas antes de que ahorquen a éste en Newgate, mientras que Hugh, Dennis y Barnaby son encarcelados ahí en *Barnaby Rudge*. La idea de no estar del lado de la ley, o tener a un criminal en la familia, es algo absolutamente fundamental en libros tales como *David Copperfield* y *Barnaby Rudge*.

HOGARES EN EL EXTRANJERO

La expansión de la red de transporte posibilitó a Dickens viajar al extranjero, lo cual hizo con frecuencia. Residió en Lausana, Suiza, y escaló el Monte Vesubio (arriba) en Italia, en donde el impresionante panorama le produjo una emoción perdurable. También visitó París, y el contraste entre la capital francesa y Londres le sugirió una "idea fantasmal" que encontraría su expresión en *Historia de dos ciudades*.

CLASE Y SOCIEDAD

Al aumentar la fama y la riqueza de Dickens, él y su familia se mudaron a zonas cada vez más exclusivas de Londres. Sin embargo, aunque formaba parte de la clase acomodada londinense, Dickens no ignoraba la otra realidad de Londres, las zonas pobres y miserables que conoció muy bien en su infancia. Aunque vivía como un autor próspero, Dickens se mantenía tan fascinado como indignado por los arrabales de Londres y con frecuencia caminaba de noche por las calles de la ciudad, observando y pensando. En sus novelas intentó abordar algunas de las injusticias que veía a su alrededor describiendo, de forma imaginativa, algunas situaciones que generaran mayor conciencia en torno a ellas entre el gran público lector. Muchas de estas injusticias fueron el resultado de la naturaleza represiva de las instituciones de la Inglaterra victoriana, como la ley, la mezquina burocracia y los asilos para pobres, donde éstos trabajaban a cambio de albergue y comida.

EL MUNDO DE CHARLES DICKENS

C harles Dickens nació en Portsmouth, pero pasó gran parte de su infancia en Kent, antes de que su familia se mudara a Londres en 1822. Dickens llegó a conocer Londres de forma cercana y esta ciudad es el escenario de muchas de sus novelas. Dickens también viajó por toda Europa, e hizo dos visitas a Norteamérica; una de sus novelas, *Martin Chuzzlewit*, se sitúa en Estados Unidos. Dondequiera que viajara, Dickens era un ávido observador de la actividad humana, desde los círculos más pobres hasta los más ricos de la sociedad del siglo XIX. Fueron esta mirada aguda, así como una vívida imaginación y un sentido de la comicidad, los que inspiraron gran parte de sus obras.

EL MUNDO DEL TEATRO

Desde temprana edad, a Dickens le atrajo el teatro. Presenció producciones en el teatro Covent Garden y en Drury Lane, en Londres, así como en el Teatro Royal en Rochester (arriba). También visitaba los "teatros privados", en donde cualquiera podía actuar por una pequeña cuota. Con frecuencia, a Dickens le deleitaban no sólo las obras de teatro mismas, sino también la mala calidad de las actuaciones. Esto influyó en sus obras, pues sus textos se desarrollaban en torno a la diferencia entre los ideales de la vida y las muy dispares realidades.

LECTURA TEMPRANA

Dickens no sólo fue influido por escritores como Henry Fielding, sino también por historias y leyendas folclóricas, como *Caperucita Roja*. Dickens escribió: "Caperucita Roja fue mi primer amor. Sentía que, de haberme casado con ella, hubiera encontrado la felicidad perfecta."
La mayor parte de su obra está influida por el enfoque directo de su narrativa, los personajes casi míticos y los poderosos vuelos de su imaginación.

LOS CONTEMPORÁNEOS DE DICKENS

*D*ickens tenía un amplio círculo de amigos, entre ellos muchos de los escritores, artistas, actores y políticos más prominentes de la época. Durante sus viajes, Dickens también conoció a algunos literatos notables como Edgar Allan Poe y Henry Wadsworth Longfellow. Uno de los máximos admiradores de Dickens, el escritor danés Hans Christian Andersen, experimentó la emoción de recibir la invitación de visitar Gad's Hill. Desafortunadamente, la larga estancia de Andersen excedió su hospitalidad, provocando que Dickens escribiera en una tarjeta: "Hans Christian Andersen durmió en esta habitación durante cinco semanas, ¡que a la familia le parecieron siglos!"

WILLIAM THACKERAY (1811-1863)

La obra más reconocida de William Thackeray es *La feria de las vanidades*, publicada en 1847. Dickens y Thackeray mantenían ciertas relaciones amistosas y elogiaban su trabajo mutuo, pero parece que también existía cierta rivalidad y tensión entre ambos. Esto se supo por una disputa ocurrida en 1858, año en que Dickens abandonó a su esposa Catherine, por quien Thackeray sentía simpatía. El distanciamiento entre ambos escritores persistió hasta poco antes de la muerte de Thackeray en 1863. En el funeral de éste, se dijo que "Dickens tenía un inenarrable rictus de dolor."

WILKIE COLLINS (1824-1889)

Wilkie Collins hoy día es mejor reconocido por ser el autor de *El ópalo* y *La dama vestida de blanco*. Esta ilustración lo muestra pegando un cartel relacionado con la última obra. Collins colaboró en los periódicos semanales de Dickens, *Household Words* y *All The Year Round*, y escribió varias historias cortas con Dickens. El hermano de Collins, Charles, se casó con la hija de Dickens, Kate, en 1860. Sin embargo, Dickens desaprobaba la unión porque Charles Collins tenía problemas de salud.

ALFRED LORD TENNYSON (1809-1892)

Esta imagen apareció en la portada de *Idilios del rey* de Tennyson, una serie de versos acerca de las leyendas del rey Arturo, en 1875. Dickens conocía y admiraba la poesía de Tennyson. Sabemos que leyó *Idilios del rey* durante el mismo verano en que se encontraba ocupado escribiendo *Historia de dos ciudades*, en 1859. Tennyson visitó a la familia Dickens cuando vivían en Suiza, poco después de que Dickens había bautizado a su sexto hijo con el nombre de Alfred d'Orsay Tennyson Dickens en honor del poeta.

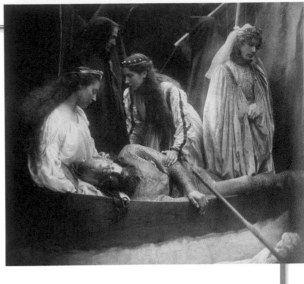

ANTHONY TROLLOPE (1815-1882)

El padre de Anthony Trollope era un abogado fracasado, quien murió joven, forzando a su madre, Frances, a escribir libros para sostener a su familia. Trollope siguió sus pasos, logrando éxito con *El custodio*, publicado en 1855. Se trataba del primer libro de una serie conocida como el "ciclo de Barchester". Trollope se basó en Dickens para el personaje del editor de *El Júpiter*. Posteriormente, Trollope llamó a Dickens el "Señor sentimiento popular".

GEORGE ELIOT (1819-1880)

George Eliot era el seudónimo de Mary Ann Evans, una de las mejores novelistas victorianas y a quien admiraba Dickens. Ella y Dickens se reunieron en varias ocasiones. Después de leer la novela de Eliot, *Adam Bede*, escribió: "el personaje de Hetty es tan extraordinariamente sutil y real, que bajé el libro cincuenta veces, para cerrar los ojos y pensar en ello". Dickens intentó persuadir a Eliot de que escribiera una historia para publicarla en *All The Year Round*, pero no tuvo éxito.

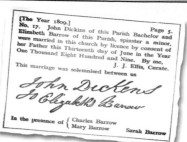
JOHN Y ELIZABETH DICKENS

Cuando nació Dickens, su padre John trabajaba en la Oficina de Pago Naval en los muelles de Portsmouth. Su madre, Elizabeth, sólo tenía 23 años. Se casaron en 1809 en la iglesia de St. Mary-le-Strand, como lo comprueba este folio de los registros matrimoniales. Elizabeth tuvo, durante los siguientes 15 años, otros seis hijos, dos de los cuales murieron en la infancia. John Dickens era un hombre apacible y hospitalario, incapaz de ajustarse a sus medios, por lo que siempre se encontraba endeudado. En más de una ocasión, la familia se vio forzada a mudarse, ya fuera por no poder pagar la renta o para escapar de los iracundos acreedores.

LUGAR DE NACIMIENTO DE DICKENS

Dickens nació en esta casa de las afueras de Portsmouth. Después de su nacimiento, la familia no permaneció ahí durante mucho tiempo. Cinco meses después, empacaron todo y se marcharon; fue la primera de muchas mudanzas que marcaron la infancia de Dickens. La casa aún existe y está abierta al público.

CRONOLOGÍA

1812
Nacimiento de Charles John Huffam Dickens.

1817
La familia Dickens se muda a Chatham, Kent.

1822
La familia Dickens se muda a Londres.

1824
Dickens empieza a trabajar en la fábrica de betunes Warren; su padre es encarcelado por deudas.

1827
Dickens comienza a trabajar como empleado de un abogado.

LA VIDA EN CHATHAM

En 1817, cuando Dickens tenía cinco años de edad, la familia se mudó a Chatham, en Kent, un animado pueblo naval cercano a Rochester, famoso por su catedral. Este fue el periodo más estable en la infancia de Dickens. No obstante, en 1822, este feliz periodo llegó a su fin cuando John Dickens fue transferido a un nuevo empleo en Londres y la familia se mudó a una pequeña y derruida casa de la calle Bayham, en Camden.

LA VIDA DEL ESCRITOR

A lo largo de la infancia de Dickens, la familia se vio constantemente agobiada por problemas económicos. Por tanto, Dickens fue enviado a trabajar a una miserable fábrica cuando tenía 12 años de edad, experiencia que lo perseguiría durante el resto de su vida.

LA FÁBRICA DE BETUNES

Dickens experimentó una crisis especialmente difícil cuando su familia comenzó a endeudarse cada vez más. No tenían dinero para enviarlo a la escuela, y estaban por llegar momentos peores. En 1824, John Dickens aceptó la propuesta de un pariente de que su hijo trabajara en la fábrica de betunes Warren en Hungerford Stairs, Londres (arriba). El trabajo de Dickens, entonces de 12 años de edad, consistía en cubrir con papel los recipientes de betún para zapatos y etiquetarlos. Fue una época de miseria absoluta para él. Posteriormente, describió sus sentimientos acerca de ese periodo: "No hay palabras que puedan expresar la agonía secreta de mi alma."

RIVALIDAD FRATERNAL

En Londres, los problemas económicos de la familia se tornaban cada vez más graves. El único alivio para John y Elizabeth era el éxito musical de la hermana favorita de Dickens, Fanny. A la edad de 11 años, fue aceptada como alumna interna en la Academia Real de Música en Londres (arriba). Cuando Fanny se marchó para comenzar su preparación como pianista y cantante, Dickens fue abandonado a su suerte en los callejones de Londres.

DE NIÑO A HOMBRE

Este retrato de Dickens a los 18 años, pintado por su tía Janet Barrow, es uno de los primeros que se conocen. A esa edad ya había visto y experimentado una gran cantidad de crudas realidades. Mientras trabajaba en la fábrica de betunes, su padre fue arrestado por una deuda, y toda la familia, con excepción de Charles y Fanny, fue obligada a mudarse a la prisión para deudores de Marshalsea. Dickens habitaba una vivienda, solo y en la pobreza. Después de algunos meses, una herencia liberó a la familia de la prisión y a Dickens de la fábrica. En los años siguientes, asistió a la escuela y después se convirtió en empleado de un abogado. Sin embargo, ya tenía en mente otra profesión: el periodismo.

LOS APUNTES DE BOZ

Después de su primer artículo publicado en 1833, Dickens continuó creando esbozos de la vida londinense para la *Monthly Magazine*. En agosto de 1834, Dickens aceptó el puesto de periodista en un diario llamado *Morning Chronicle*. El editor lo exhortó a que continuara escribiendo sus relatos, lo cual hizo, usando el seudónimo "Boz". En 1836, una colección de esos relatos, con ilustraciones del famoso artista George Cruikshank, apareció bajo el nombre de *Los apuntes de Boz*. Aquí se muestra una ilustración de ese libro.

VIDA LONDINENSE

Durante sus años como empleado de un abogado y reportero, Dickens dedicó muchas horas a recorrer Londres. Llegó a conocer con precisión las calles de la ciudad y a sus habitantes. Comenzó a utilizar este conocimiento detallado realizando crónicas de la vida londinense, en toda su diversidad. La primera de dichas crónicas aceptada para su publicación apareció en *Monthly Magazine* en 1833. Esta ilustración muestra a un Dickens joven y lleno de esperanza depositando su colaboración en el buzón del editor.

CRONOLOGÍA

1830
Dickens conoce a María Beadnell.

1832
Dickens se convierte en reportero taquígrafo en el Parlamento.

1833
La relación con María Beadnell termina; primera publicación en la Monthly Magazine.

1834
Dickens se convierte en reportero del Morning Chronicle; *conoce a Catherine Hogarth.*

1836
Los apuntes son publicados en el Evening Chronicle.

1836
Los apuntes de Boz; Dickens y Catherine se casan.

1837
Los papeles póstumos del club Pickwick; *nace su hijo Charles; Mary, hermana de Catherine, muere repentinamente.*

1838
Oliver Twist; nace su hija Mary (Mamie).

1839
Nace su hija Kate; Nicholas Nickleby.

PRIMER AMOR

Cuando tenía 18 años de edad, Dickens conoció a María Beadnell (izquierda), hija de un banquero, y se enamoró profundamente de ella. Sin embargo, parece que los padres de ésta desaprobaban la relación; después de todo, no importaba qué ambicioso fuera Dickens; seguía siendo hijo de un deudor. Finalmente, Dickens fue rechazado por María. Este suceso lo afectó sobremanera y más adelante utilizó esta experiencia para escribir la ficticia historia del amor de David por Dora en su novela *David Copperfield*.

MATRIMONIO Y ÉXITO

*L*a década de 1830 fue significativa en la vida de Dickens. Se enamoró por primera vez, se casó y comenzó una familia. Asimismo, sus obras comenzaron a ser aceptadas para editarse. Su primer libro publicado fue *Los apuntes de Boz*, en 1836. Al mismo tiempo, Dickens ya trabajaba en los capítulos mensuales del libro que realmente lo consolidó como autor, *Los papeles póstumos del club Pickwick*. Hacia finales de la década, ya era un autor reconocido y muy exitoso.

LA CARRERA PARLAMENTARIA DE DICKENS

En 1827, Dickens abandonó la escuela y comenzó a trabajar como empleado de un abogado. El trabajo era muy aburrido y Dickens estaba decidido a progresar. Aprendió por sí mismo a escribir en taquigrafía, llegando a dominar los puntos, las rayas y las curvas en unos cuantos meses. Para 1832, logró obtener un puesto como reportero taquígrafo en las Cámaras del Parlamento originales, que se incendiaron poco después de que se marchó. Su trabajo consistía en anotar los debates parlamentarios y pronto se destacó como uno de los reporteros más rápidos y veraces jamás vistos en el Parlamento.

LOS HOGARTH

El dibujo de arriba, realizado por Maclise, muestra a Dickens con Catherine y Georgina Hogarth. Dickens conoció a la familia Hogarth a finales de 1834, después de que el periodista y crítico musical George Hogarth se mudó a Londres para trabajar en el *Morning Chronicle*. Hogarth pronto se convirtió en editor del *Evening Chronicle* y contrató a Dickens para su periódico. Hogarth tenía una familia grande y Dickens comenzó a prestar especial atención a la hija mayor, Catherine (arriba, al centro). En poco tiempo, ambos se comprometieron, aunque se casaron hasta abril de 1836.

EL DUELO POR UNA AMIGA

Esta pintura muestra a Mary Hogarth, hermana de Catherine, que murió a los 17 años de edad, en 1837. Dickens apreciaba mucho a Mary, a quien consideraba una "querida amiga" y su muerte lo afectó profundamente. Dickens experimentó sueños recurrentes y visiones de Mary "en ocasiones viva; en ocasiones regresando del mundo de las sombras para darme consuelo; siempre bella, plácida y feliz". Las palabras que Dickens escribió en su epitafio, en donde la describió como "joven, bella y buena", se repiten varias veces en sus libros. Florence Dombey es descrita de esta manera en Dombey e hijo, *mientras que en* El almacén de antigüedades, *la muerte de la pequeña Nell genera la misma reacción.*

VIAJES Y FAMA

La inagotable energía de Dickens provocaba que siempre estuviera trabajando en diferentes proyectos, ya fuera escribiendo novelas y obras de teatro o como editor de revistas. En ocasiones, su intenso itinerario le causaba problemas porque no podía cumplir con muchas de sus obligaciones. Parte de la presión se derivaba del hecho de que todas sus novelas primero se publicaban por entregas (la mayoría mensualmente, y a veces cada semana), antes de ser editadas en forma de libro. Este método de publicación exponía su obra ante un público muy amplio. De forma casi inmediata, cada episodio de alguna nueva historia de Dickens era esperado con avidez por un público entusiasta.

LA HEREDERA

En 1837, Ángela Burdett-Coutts heredó la enorme fortuna de su abuelo, el banquero Thomas Coutts. Por esta misma época, conoció a Charles Dickens y lo consultaba acerca de la mejor manera de gastar dinero en mejorar la situación de los pobres (véase página 27). Se convirtió en una amiga íntima de la familia e incluso pagó para que el hijo mayor de Dickens, Charley, recibiera educación en Eton. Sin embargo, cuando Dickens se separó de Catherine, la relación entre ambos amigos se enfrió.

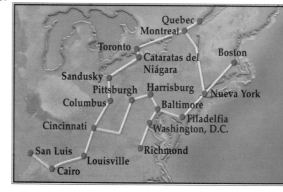

VIAJES AMERICANOS

La fama de Dickens se dispersó rápidamente más allá de Inglaterra y, en enero de 1842, él y su esposa Catherine se embarcaron en un recorrido de seis meses por Norteamérica. Adondequiera que iban, las calles se encontraban flanqueadas por espectadores deseosos de ver al célebre autor, y comenzaban a llegar infinidad de invitaciones a cenas, recepciones y bailes. Dickens y Catherine viajaron al Oeste en tren y buque de vapor de ruedas, y también visitaron las Cataratas del Niágara hacia el Norte.

VIDA FAMILIAR

Este retrato, realizado en 1842 por Daniel Maclise, muestra a los cuatro hijos mayores de los Dickens: Charley, Mamie, Kate y Walter. Entre los años de 1837 y 1852, Catherine Dickens dio a luz a 10 hijos: tres niñas y siete niños. La hija más pequeña, Dora, nació en 1850, pero murió al año siguiente. Dickens se encontraba muy consternado, pues su padre también había muerto recientemente.

DICKENS EN EL TRABAJO

La capacidad de Dickens para trabajar era asombrosa. Sus editores lo presionaban constantemente para que escribiera una nueva novela y tenía muchos compromisos como periodista y editor. Se vio aún más abrumado por su frecuente participación en la creación de obras y producciones teatrales. Muchos de los millones de palabras que surgían de su imaginación fueron anotados sobre este escritorio.

"Familiar in their Mouths as HOUSEHOLD WORDS."—SHAKESPEARE.

HOUSEHOLD WORDS.
A WEEKLY JOURNAL.
CONDUCTED BY CHARLES DICKENS.

No. 161.]   SATURDAY, APRIL 23, 1853.   [Price 2d.

HOME FOR HOMELESS WOMEN.

HOUSEHOLD WORDS

A pesar de su gran éxito como novelista, Dickens albergaba ambiciones de dirigir una gaceta, en parte como una herramienta para la reforma y también para obtener ingresos adicionales. Después de algunas iniciativas infructuosas, lanzó un periódico semanal llamado *Household Words* en 1850, el cual contenía artículos acerca de una amplia variedad de temas. Tuvo un gran éxito y vendía hasta 40 000 ejemplares cada semana. En la primera plana, la función de Dickens se describía como "Director", pero, de hecho, él mismo escribía un gran número de artículos y editaba cuidadosamente otras colaboraciones.

CRONOLOGÍA

1840
El almacén de antigüedades.

1841
Barnaby Rudge; *nace su hijo Walter.*

1842
Dickens y Catherine recorren Norteamérica; Notas americanas *(diario de sus viajes por América).*

1843
Canción de Navidad

1844
Martin Chuzzlewit; *nace su hijo Francis; la familia Dickens vive en Italia; Las campanas.*

1845
Nace su hijo Alfred.

1846
La familia Dickens vive en Suiza y Francia.

1847
Nace su hijo Sydney; la familia vuelve a Londres.

1848
Dombey e hijo.

1849
Nace su hijo Henry.

1850
Comienza la publicación de Household Words; *nace su hija Dora;* David Copperfield.

1851
Fallece Dora.

1852
Casa desolada; *nace su hijo Edward.*

1853
Dickens ofrece su primera lectura pública.

1854
Tiempos difíciles.

ACCIDENTE EN STAPLEHURST

La extraña doble vida que llevaban Dickens y Ellen Ternan implicaba que, con frecuencia, se encontraran en el extranjero, lejos de los ojos inquisitivos de Inglaterra. En 1865, después de visitar Francia con Ellen y la madre de ésta, de regreso en Inglaterra, los tres se vieron involucrados en un horrible choque de tren en Staplehurst, Kent. Muchas personas murieron, pero Dickens y las Ternan resultaron relativamente ilesos. El temor de viajar en tren persiguió a Dickens hasta sus últimos días.

ÚLTIMOS AÑOS

En la última década de su vida, Dickens escribió *Grandes esperanzas* y *Nuestro común amigo*. Al morir dejó una novela inconclusa, *El misterio de Edwin Drood*. Dickens murió el 9 de junio de 1870 en Gad's Hill. Pidió ser sepultado en Rochester, pero se consideró más apropiado hacerlo en la abadía de Westminster (véase página 28).

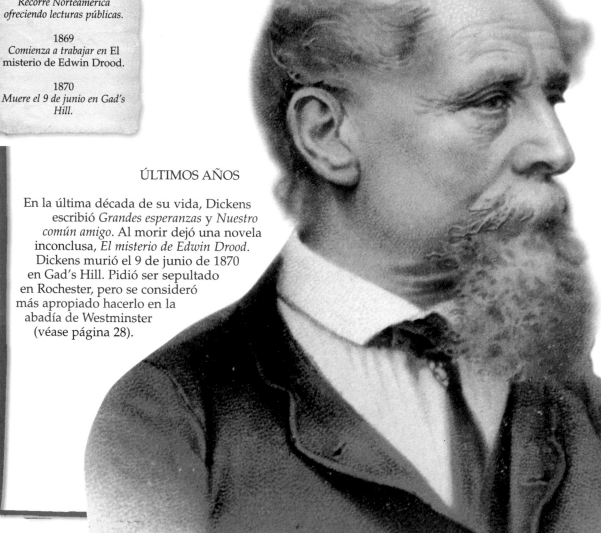

ETAPA POSTERIOR

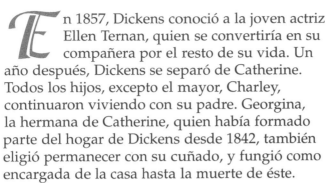

En 1857, Dickens conoció a la joven actriz Ellen Ternan, quien se convertiría en su compañera por el resto de su vida. Un año después, Dickens se separó de Catherine. Todos los hijos, excepto el mayor, Charley, continuaron viviendo con su padre. Georgina, la hermana de Catherine, quien había formado parte del hogar de Dickens desde 1842, también eligió permanecer con su cuñado, y fungió como encargada de la casa hasta la muerte de éste.

A pesar de su delicada salud, los últimos días de Dickens incluyeron otra exitosa visita a Estados Unidos y lecturas públicas de sus obras.

EL ESCRITOR Y LA ACTRIZ

Ellen Ternan tenía 18 años cuando conoció a Dickens, de 45. Dickens se encaprichó rápidamente con ella y la fuerza de sus sentimientos se hizo evidente al separarse de Catherine. Él perdió muchos amigos por esa aventura. Ellen conocía a los hijos de Dickens y visitaba Gad's Hill con frecuencia, pero tanto ella como Dickens mantuvieron su relación lo más secreta posible para evitar el escándalo.

UNA CASA DE ENSUEÑO

Durante su infancia, cuando vivía en Chatham, uno de los paseos favoritos de Dickens era junto a una gran casa llamada Gad's Hill Place. Tiempo después, Dickens recordó las palabras de su padre, quien le dijo que si trabajaba arduamente, algún día esa casa podía ser suya. En 1856, Dickens cumplió su sueño de la infancia al comprar Gad's Hill. Se mudó ahí al año siguiente y fue su hogar hasta su muerte.

LECTURAS DRAMÁTICAS

En 1853, Dickens ofreció su primera lectura pública. Este evento marcó el comienzo de las giras de lectura que se convertirían en un aspecto sobresaliente de la última etapa de la vida de Dickens. Las personas se congregaban en los salones para ver al famoso autor leyendo fragmentos de sus cuentos y novelas. Uno de los fragmentos más aclamados era la adaptación de Dickens del asesinato de Nancy en *Oliver Twist*. Temerosos por la presión que esta actividad ejercería sobre su debilitada salud, sus familiares y amigos lo exhortaron a que no lo hiciera. Pero Dickens estaba decidido y les informó, después de una presentación, que el público se encontraba "decididamente pálido y sus rostros se notaban consternados".

BOB CRATCHIT Y TINY TIM

Bob Cratchit y Tiny Tim son dos famosos personajes del primero, y más famoso, "cuento de Navidad" de Dickens, *Canción de Navidad*. En esta novela, los pequeños placeres de la miserable familia Cratchit contrastan con la actitud irascible del avaro Ebenezer Scrooge. Ataviado con ropa raída, cuidando a su hijo lisiado, el destino de Bob Cratchit y su familia es esencial para que Scrooge descubra finalmente el verdadero significado de la Navidad.

TONY WELLER

La presencia de Tony Weller en *Los papeles póstumos del club Pickwick* aseguró el éxito del libro. Samuel Pickwick conoce a Tony Weller en la hostería White Hart Inn, en Borough. Su indumentaria se describe así: "un abrigo de rayas anchas, con mangas negras estampadas y botones de vidrio azul; monótonos pantalones bombachos y polainas. Alrededor de su cuello, se había amarrado una pañoleta roja de forma muy holgada y carente de un estilo en particular".

LA PEQUEÑA NELL

Nell Trent es el personaje principal del *Almacén de antigüedades*. Su personaje se basó, en parte, en la cuñada de Dickens, Mary (véase página 11), quien murió repentinamente en los brazos del escritor poco después de su matrimonio con Catherine. Dickens vertió todos sus sentimientos en la muerte ficticia de la pequeña Nell, escribiendo una nota al ilustrador del libro que decía: "Se me rompe el corazón por esta historia."

LOS PERSONAJES DE DICKENS

Dickens representó a toda la sociedad victoriana en sus novelas, desde la aristocracia hasta el nivel más pobre de la clase obrera; fue un ávido observador de la humanidad. Sus libros están llenos de personajes extraordinarios, pero Dickens también se encontraba fascinado por personas ordinarias, de clase media, que llevaban vidas rutinarias. En uno de los capítulos de *Los apuntes de Boz*, escribió: "Es extraño cuán poca atención merece, buena, mala o indiferente, un hombre que vive y muere en Londres. Su existencia es un tema que no interesa a nadie más que a él mismo; no es posible decir que ha sido olvidado cuando muere, pues nadie lo recordaba cuando estaba vivo."

PINTURA FANTASMAL

Esta pintura de Robert William Buss se titula *El sueño de Dickens.* Muestra a Dickens rodeado por esbozos fantasmales de personajes y escenas de sus libros. Tras la muerte de Dickens, G. H. Lewes, la pareja de George Eliot, escribió: "los placeres y dolores de la infancia, las mezquinas tiranías de naturaleza innoble, la vida de los pobres, las batallas en las calles y los callejones, la insolencia de los funcionarios, los intensos contrastes sociales, el viento del Este y la alegría de la Navidad, el hambre, la miseria y el ponche caliente: la veracidad con que describía todo ello nos hacía reír y llorar".

BETSY TROTWOOD

La tía abuela de David Copperfield, Betsy Trotwood, es uno de los personajes más encantadores de Dickens. Tiene un lenguaje mordaz y un corazón de oro, y a diario libra batallas contra los burros que invaden el jardín delantero de su casa. David comenta: "Todavía ahora no sé si mi tía tenía derechos legales sobre aquella praderita; pero, en su espíritu, había resuelto que le pertenecía, y era suficiente. No se le podía hacer peor ultraje que dejar que un burro pisase aquel césped inmaculado."

DICKENS EN CASA

La primera casa formal de Dickens, como hombre casado, se ubicaba en 48 Doughty Street (abajo), hacia el oeste de la hostería Gray's Inn en Londres. Charles y Catherine se mudaron ahí en abril de 1837. Su hogar también incluyó a Mary, hermana de Catherine, y a Frederick, hermano de Dickens. Hoy día, 48 Doughty Street alberga el Museo Dickens. La familia Dickens vivió ahí hasta 1839, cuando se mudó a una casa más fastuosa, 1 Devonshire Terrace, en Regent's Park (derecha).

POBREZA INFANTIL

El sufrimiento de los niños era muy severo en las barriadas de Londres. Este niño mendigo era el ejemplo típico de los pilluelos que vagaban por las calles del Londres victoriano. Dickens describe a los niños abandonados en muchas de sus novelas, pero el más famoso de todos ellos probablemente es Jo, el barrendero de calles en *Casa desolada*. Dickens lo describe así: "Sucio, feo, desagradable en todos los sentidos. La suciedad lo cubre, feos parásitos lo devoran, feas úlceras invaden su piel, feos andrajos lo visten."

EL LONDRES DE DICKENS

SEVEN DIALS

"*H*abiendo permanecido en Londres durante dos años, pensé que conocía la ciudad, pero después de una breve charla con Dickens, descubrí que no sabía nada. Él lo conocía todo, desde Bow hasta Brentford." Estas son las palabras de George Lear, un empleado que trabajaba con el joven Dickens en la oficina legal de Ellis y Blackmore. Cuando niño, obligado a valerse por sí mismo, Dickens se familiarizó rápidamente con las calles y la gente de Londres. Como adulto, continuó sus exploraciones, con frecuencia caminando muchos kilómetros durante la noche para volver a visitar los viejos lugares que frecuentaba y observar la vida que lo rodeaba.

Este grabado del distrito de Seven Dials en Londres fue creado por el ilustrador francés Gustav Doré. Éste hizo muchos grabados que mostraban la vida de los pobres en Londres. Dickens conocía bien el área de Seven Dials. Cerca se hallaba St. Giles, un barrio bajo conocido como "rookery", en el que vivían aproximadamente 3000 personas en sólo 95 casas en ruinas sin servicios sanitarios. No debe asombrar que las condiciones de vida en dichos lugares fueran terribles, y enfermedades como el cólera representaran una amenaza constante.

PRISIÓN DE NEWGATE

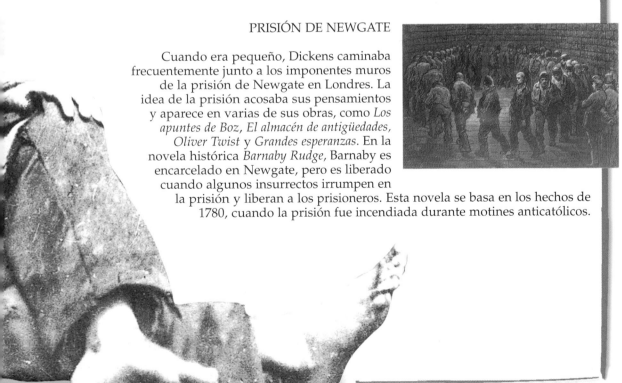

Cuando era pequeño, Dickens caminaba frecuentemente junto a los imponentes muros de la prisión de Newgate en Londres. La idea de la prisión acosaba sus pensamientos y aparece en varias de sus obras, como *Los apuntes de Boz*, *El almacén de antigüedades*, *Oliver Twist* y *Grandes esperanzas*. En la novela histórica *Barnaby Rudge*, Barnaby es encarcelado en Newgate, pero es liberado cuando algunos insurrectos irrumpen en la prisión y liberan a los prisioneros. Esta novela se basa en los hechos de 1780, cuando la prisión fue incendiada durante motines anticatólicos.

DICKENS Y LA INFANCIA

ickens nunca hablaba de las dolorosas experiencias que sufrió durante su infancia, especialmente la época en que trabajó en la fábrica de betunes para calzado, hasta que un comentario incidental de su amigo John Forster provocó que se sentara a escribir un relato de ellas. Dickens no escribió una autobiografía, pero sí utilizó su infancia como inspiración para *David Copperfield*. En muchas otras obras de Dickens los protagonistas son niños, como *Grandes esperanzas*, *Oliver Twist* y *Dombey e hijo*.

CAMPOSANTO DE COOLING

En el cementerio de la iglesia de Cooling, en Kent, se encuentran féretros con forma de cápsula, donde yacen los hijos de la familia Comport: 13 en total. Ninguno rebasó los 17 años. Con frecuencia, Dickens visitaba ese sitio extraño y desolador en los pantanos de Kent después de su mudanza a Gad's Hill. Este lugar le proporcionó la inspiración necesaria para crear una de sus escenas más aterradoras, el encuentro entre Pip y Magwitch, el reo fugado, en *Grandes esperanzas*.

UNA VÍCTIMA INOCENTE

Los protagonistas infantiles de la séptima novela de Dickens, *Dombey e hijo*, son una hermana y un hermano. Florence Dombey no es amada por su padre porque es niña. Su hermano, Paul, el anhelado heredero, es un niño enfermizo que muere durante el transcurso de la novela. Dickens escribió la muerte de Paul mientras vivía en París. "Estoy asesinando a una víctima joven e inocente", comentó en una carta. El episodio de la muerte de Paul fue recibido con histeria por parte del público de Dickens. Según un observador, "enlutó a la nación".

LA PEQUEÑA DORRIT

Amy Dorrit, conocida por todos como la pequeña Dorrit, es la hija de un deudor, William Dorrit. En *La pequeña Dorrit*, Dickens recurrió a sus memorias infantiles de la vida en Marshalsea, la prisión destinada a los deudores. Aunque Dickens y su hermana Fanny no se mudaron a la prisión con el resto de la familia, él visitaba ese lugar regularmente durante la permanencia de su familia ahí (véase página 9). En la novela, la pequeña Dorrit nace y crece en la prisión y finalmente contrae nupcias bajo la sombra del mismo presidio.

OLIVER TWIST

Oliver Twist es, posiblemente, el libro más famoso de Dickens. Escapando de la brutalidad de Sowerberry el sepulturero, Oliver viaja a Londres y conoce al ladronzuelo Artful Dodger y a su pandilla, mostrados en esta fotografía. Aunque la vida de Oliver es el tema central de esta novela, Dickens creó en ella a algunos de sus personajes más memorables, como Fagin, Sikes y Nancy.

REALIDAD Y FICCIÓN

David Copperfield fue la novela más popular de Dickens y su preferida. Sigue la vida de David desde su nacimiento hasta su final matrimonio con Agnes. Uno de los elementos autobiográficos de Dickens incluido en esta historia fue el episodio en el que, después de la muerte de su madre, David se ve forzado a trabajar en una bodega, lavando y etiquetando botellas. David se marcha de este lugar para viajar a Dover, acogiéndose a la misericordia de su tía abuela, Betsy Trotwood (véase página 17). Esta ilustración muestra a David tomando el té en la casa de su tía abuela.

LAISSEZ-FAIRE

En el siglo XIX, era común que los niños fueran contratados para trabajar en las minas de carbón, como se muestra en la ilustración de la derecha. Sin embargo, no fue hasta el *Acta de Minas* de 1842 cuando el Gobierno intentó establecer restricciones a las peligrosas condiciones laborales. Hasta entonces, era responsabilidad de los empleados y los patrones resolver dichos asuntos entre sí, política denominada "laissez-faire".

EL SEÑOR GRADGRIND

Mediante uno de los protagonistas de *Tiempos difíciles*, Thomas Gradgrind, Dickens demuestra lo que ocurre cuando se pone en práctica la teoría del Utilitarismo. El señor Gradgrind cree en "realidades" y únicamente hechos. En su mundo no hay lugar para la imaginación o la emoción. De modo que, cuando el señor Gradgrind pide la definición de un caballo, esto es lo que desea escuchar: "Cuadrúpedo herbívoro; tiene cuarenta dientes, de los cuales veinticuatro son molares, cuatro caninos y doce incisivos. Cambia su pelo en la época primaveral. Su casco es duro, pero debe ir herrado. La edad se reconoce por la forma de cerrar su hocico."

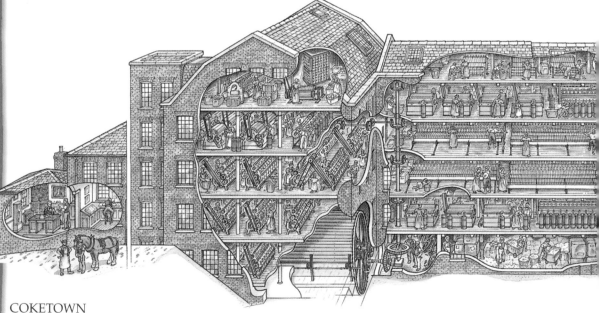

COKETOWN

Dickens usa como ambiente para las situaciones en *Tiempos difíciles* una ciudad ficticia llamada Coketown. Es un lugar desagradable, un típico pueblo o ciudad manufacturera que surgió durante la Revolución Industrial, lleno de fábricas similares a esta planta en Cheshire (arriba). Dickens describe Coketown como "una ciudad construida con ladrillos rojos, que habrían permanecido rojos si el humo y el hollín lo hubiesen permitido... Era una ciudad de máquinas y altas chimeneas, de las que salían prolongadas serpientes de humo, que cruzaban el espacio sin lograr nunca desarrollarse".

DICKENS Y EL MUNDO INDUSTRIAL

A principios de 1854, Dickens asistió a una reunión con sus editores. Los ingresos generados por *Household Words* (véase página 13) habían descendido y los editores consideraban que una historia seriada ayudaría a revivir las ventas. Dickens ya tenía la idea para una nueva novela: así nació *Tiempos difíciles*. Fue publicada en capítulos semanales, no mensuales, una periodicidad que era muy agotadora para Dickens. Por tanto, es una de las novelas más cortas de este escritor.

DICKENS EN CONTRA DEL UTILITARISMO

Dickens situó *Tiempos difíciles* en el mundo de la industria mecanizada. Uno de sus objetivos era exponer un sistema de pensamiento denominado Utilitarismo, desarrollado por el filósofo Jeremy Bentham (arriba). El lema del utilitarismo era "la medida de lo bueno y malo es la mayor felicidad del mayor número", una teoría que hacía caso omiso de la distribución de los beneficios y las responsabilidades. Dickens se oponía al Utilitarismo, pues consideraba que reducía a los seres humanos a la condición de máquinas, sin dejar espacio para cualidades imposibles de medir, como la imaginación o la emoción.

INVESTIGACIÓN PARA *TIEMPOS DIFÍCILES*

En las fábricas de algodón del norte de Inglaterra, los niños y las mujeres eran usados como mano de obra barata. Dado que ninguna de las máquinas tenía dispositivos de seguridad para proteger a los trabajadores, los accidentes eran muy comunes. Antes de comenzar a trabajar en *Tiempos difíciles*, Dickens hizo una investigación. Ya había visitado las fábricas y los hornos de los alrededores de Birmingham; en enero de 1854, decidió visitar Preston en Lancashire. Ahí, los operadores de telares eléctricos de las fábricas de algodón estaban en huelga al rechazar los patrones una petición de aumento salarial. En respuesta, los propietarios de las fábricas hicieron un paro patronal, impidiendo la entrada a los trabajadores. Dickens asistió a una reunión de los huelguistas y Preston proporcionó gran parte de los detalles de ambientación para la novela. Este cartel ilustra la difícil situación de los obreros.

DICKENS Y EL TEATRO

esde niño, Dickens admiraba todo lo relacionado con el teatro. Durante su juventud en Londres, consideró convertirse en actor profesional y acudió al teatro Covent Garden para hacer una audición. Pero, cuando llegó el tan esperado día, Dickens se encontraba enfermo con "una terrible y severa gripe e inflamación del rostro". Sin embargo, el teatro y la actuación siguieron desempeñando una función muy importante en su vida.

FASCINADO POR EL ESCENARIO

Durante los años que Dickens vivió en Chatham, el joven Charles fue llevado a ver una exhibición de pantomima protagonizada por Arlequín y Colombina, así como producciones de *Ricardo III* y *Macbeth, II* de Shakespeare. También fue llevado a ver al gran payaso Grimaldi (derecha). Su interés por la actuación lo llevó a escribir una obra dramática a la edad de 12 años, *Misnar, sultán de la India*, basada en una historia de los *Cuentos del Genio*, y a pasar varias horas jugando con un pequeño teatro de cartón y sus personajes.

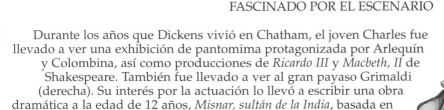

ACTUANDO PARA LA REINA

Con frecuencia, Dickens montaba obras de teatro para sus colegas escritores y artistas. Amaba todo lo relacionado con ese medio, no sólo la actuación, sino también la escenografía y el vestuario, así como la posibilidad de rodearse de un grupo de amigos. Incluso llevó sus obras de gira por la provincia. Este dibujo muestra la representación de *No tan malos como parecemos* de Edward Bulwer Lytton, a la cual asistió la reina Victoria en 1851.

CAPITÁN BOBADIL

Dickens mantuvo su pasión por el teatro en toda su vida adulta. En 1845, él y un grupo de amigos montaron una representación de *Cada cual según su humor* de Ben Jonson, dramaturgo inglés del siglo XVII. Esta pintura muestra a Dickens en el papel del Capitán Bobadil. La obra fue representada en un pequeño teatro privado en Soho, y entre el público se encontraba el poeta Alfred Tennyson (véase página 7) y el duque de Devonshire.

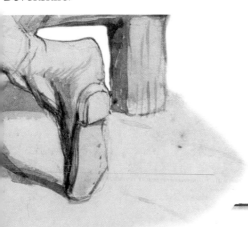

LA COMPAÑÍA TEATRAL DE DICKENS

Esta fotografía muestra la Compañía Teatral de Dickens en 1854. Charles Dickens aparece con barba y de perfil, delante de todo el grupo. Detrás de él se encuentra su hijo mayor, Charley, y a su derecha se encuentran Kate Dickens, Georgina Hogarth y Mary Dickens. Wilkie Collins es la figura encorvada a la izquierda de Mary Dickens. Collins escribió una de las obras representadas por la compañía, *La profundidad congelada*. Fue durante una gira de esta obra, en 1857, cuando Dickens conoció a Ellen Ternan.

ESCUELAS ABANDONADAS

En 1820 dio inicio un movimiento para dar educación básica a los niños pobres. Estas escuelas, administradas por voluntarios (muchas veces, también educados por iniciativa propia), llegaron a conocerse como Escuelas Abandonadas. Dickens se comprometió con las Escuelas Abandonadas en la década de 1840, después de visitar una de éstas en Holborn. Se horrorizó por las deplorables condiciones de la escuela, así como por la suciedad y el hedor de los niños. La señorita Burdett-Coutts, la acaudalada amiga de Dickens, como era de esperarse, proporcionó dinero para mejorar las aulas y estuvo comprometida con el movimiento de las Escuelas Abandonadas por el resto de su vida.

PRISIÓN PARA DEUDORES

En una prisión para deudores se sitú
gran parte de la acción de la undécin
novela de Dickens, *La pequeña Dorrit*
Dickens escribió esta obra durante u
época en que se sentía cada vez más
decepcionado de la sociedad ingles.
La indiferencia y el egoísmo de los
ricos, la corrupción e ineficacia del
Gobierno, y la falta de educación
y el sufrimiento de los pobres lo
devastaron emocionalmente. Bajo
estas condiciones emocionales, en
La pequeña Dorrit creó la Oficina
de Circunlocución, un ente
gubernamental cuya finalida
es encontrar maneras
"para no hacerlo" y
donde jamás se
logra nada.

LA VIDA EN EL ASILO DE POBRES

Uno de los primeros temas que abordó Dickens en sus novelas fue el trato que se daba a los niños en los asilos de pobres, como el que se muestra abajo, ubicado en Alton, Staffordshire. Dickens estaba indignado por la introducción de las *Leyes acerca de los pobres* en 1834 y el propósito de los primeros capítulos de su novela *Oliver Twist* era atraer la atención pública hacia el sufrimiento causado por estas nuevas medidas. Las nuevas Leyes sobre los pobres retiraban el salario a hombres y mujeres sanos. Al mismo tiempo, las condiciones en los asilos de pobres se tornaron "menos flexibles", llegando a parecer una prisión. Se dividía a las familias y su alimentación se limitaba a satisfacer únicamente las necesidades más básicas.

UNA VOZ PARA LOS POBRES

A partir de sus propias experiencias infantiles, Dickens conoció a fondo la pobreza. Durante toda su vida, defendió a aquellos que no tenían una voz para hablar por sí mismos, como los niños deshollinadores de chimeneas. Destacó la necesidad de establecer mejores condiciones de vivienda, sistemas sanitarios adecuados y acceso a agua potable. Todos estos problemas fueron expuestos profusamente en artículos publicados en Household Words *y* All The Year Round.

DICKENS Y LA REFORMA

L os años que Dickens trabajó como empleado de un abogado generaron en él un profundo escepticismo en torno a lograr reformas a través de órganos legislativos o gubernamentales. Optó por desarrollar proyectos como la Cabaña Urania en Shepherd's Bush, Londres, un hogar para mujeres desamparadas. Esto lo logró con el respaldo financiero de la enorme fortuna de Ángela Burdett-Coutts (véase página 12) y supervisó el proyecto durante varios años.

INTERNADO DOTHEBOY'S HALL

En 1838, Dickens hizo un breve viaje a Yorkshire para investigar uno de los muchos internados que habían adquirido fama por su negligencia y crueldad. Muchos niños murieron a manos de maestros brutales. Dickens asistió a una escuela en Bowes dirigida por un hombre llamado William Shaw, quien, lógicamente, no estaba dispuesto a colaborar con el escritor en su investigación. Pero Dickens vio lo suficiente y el resultado fue la institución ficticia Dotheboy's Hall (arriba), el sombrío internado en *Nicholas Nickleby* en donde Nicholas trabajaba como asistente del sádico señor Squeers.

CHARLES DICKENS
BORN 7TH FEBRUARY 1812
DIED 9TH JUNE 1870

LA INFLUENCIA DEL ESCRITOR

UN GENIO INGLÉS

La muerte de Dickens fue motivo de duelo mundial. El poeta estadounidense Longfellow comentó: "No es exageración afirmar que todo este país se encuentra afligido por la pena." El estatus de Dickens como genio de la literatura inglesa fue reconocido de inmediato pues surgieron demandas de que no fuese enterrado en Rochester, como había solicitado, sino en la Esquina de los Poetas de la abadía de Westminster. Un artículo de *The Times* confirmó este sentimiento popular: "la abadía de Westminster es el lugar de descanso específico para los genios literarios ingleses, y entre aquellos cuyas cenizas sagradas yacen ahí, muy pocos son más merecedores de dicho hogar que Charles Dickens". Fue sepultado en la abadía de Westminster el 16 de junio de 1870.

*L*os textos de Dickens influyeron en muchos de sus contemporáneos y continúan inspirando a novelistas desde entonces. Pero su influencia no sólo se limitó a los escritores y oradores ingleses; fue una auténtica celebridad internacional y sus novelas fueron traducidas a muchos idiomas y leídas en muchos países.

GEORGE GISSING

El novelista George Gissing tenía 13 años de edad cuando murió Dickens. Gissing estaba muy influido por los textos de Dickens y, en muchas de sus novelas, abordaba temas similares: los pobres y desheredados. Escribió un estudio acerca del trabajo de Dickens (*Charles Dickens: Un estudio crítico*) en donde sugería que la genialidad de Dickens radicaba en su capacidad de atraer la atención de la gente acerca de temas serios a través de la comedia: "El solo hecho de que ellos (los lectores) reían de buena gana con él, motivó a multitudes de personas a discutir el tema abordado por su página." Gissing también compartía la desconfianza de Dickens en torno a las instituciones públicas.

SCROOGE

Algunos de los personajes de Dickens se han convertido en figuras famosas por derecho propio. Una de sus historias más aceptadas, *Canción de Navidad*, introdujo el mundo de Scrooge, el avaro. De espíritu mezquino, despectivo y rencoroso al comienzo del libro, al final, Scrooge es un hombre diferente, quien comprende el error de su conducta mediante los fantasmas de la Navidad pasada, presente y futura. Su avaricia extrema hacia los demás, en particular hacia su empleado Bob Cratchit, finalmente se ve remplazada por la compasión y la comprensión del verdadero significado de la Navidad. Hoy día se ha convertido en una parte de nuestra herencia literaria que, con frecuencia, la palabra "Scrooge" se usa para describir a una persona cruel o avara.

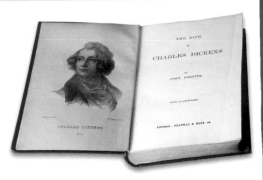

AUTORES RUSOS

Las novelas de Dickens han sido leídas en todo el mundo, pero existe un especial entusiasmo por sus obras en Rusia. León Tolstoi, autor de *La guerra y la paz* (dramatizada en esta ilustración), leyó una traducción de *David Copperfield* y se conmovió tanto por la novela de Dickens que aprendió inglés con el propósito de leer el libro en el idioma original. Dickens también influyó en otros novelistas rusos, como Dostoyevski y Turgueniev.

EL BIÓGRAFO DE DICKENS

John Forster, viejo amigo de Dickens, era abogado y escritor. Escribió la primera biografía de Dickens (arriba), *La vida de Charles Dickens*. Dedicó el libro a sus ahijadas Kate y Mary Dickens, y omitió cualquier episodio escandaloso en la vida de Dickens.

¡OLIVER!

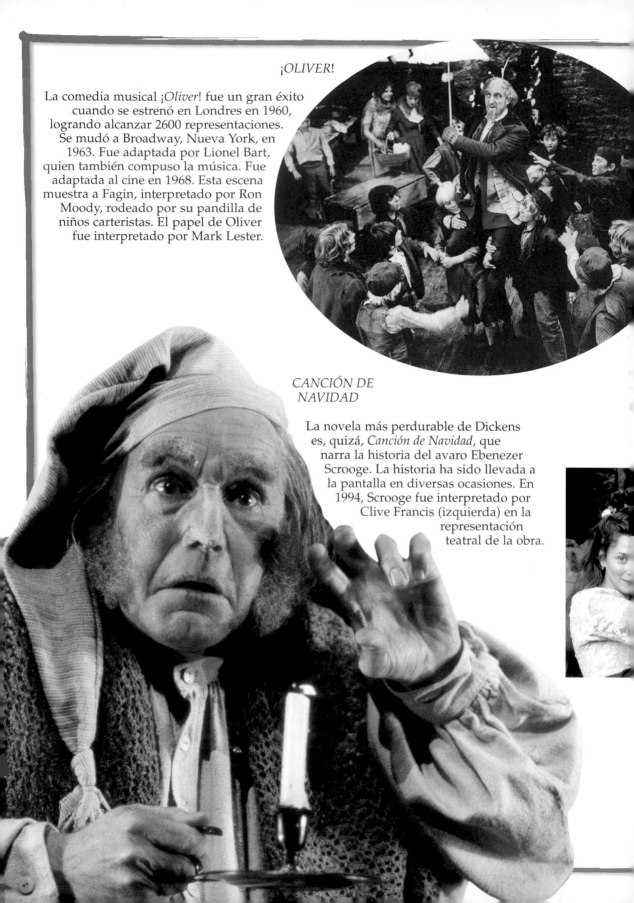

La comedia musical ¡*Oliver*! fue un gran éxito cuando se estrenó en Londres en 1960, logrando alcanzar 2600 representaciones. Se mudó a Broadway, Nueva York, en 1963. Fue adaptada por Lionel Bart, quien también compuso la música. Fue adaptada al cine en 1968. Esta escena muestra a Fagin, interpretado por Ron Moody, rodeado por su pandilla de niños carteristas. El papel de Oliver fue interpretado por Mark Lester.

CANCIÓN DE NAVIDAD

La novela más perdurable de Dickens es, quizá, *Canción de Navidad*, que narra la historia del avaro Ebenezer Scrooge. La historia ha sido llevada a la pantalla en diversas ocasiones. En 1994, Scrooge fue interpretado por Clive Francis (izquierda) en la representación teatral de la obra.

DICKENS EN LA PANTALLA Y EN EL TEATRO

NICHOLAS NICKLEBY

En la época en que Dickens escribió sus novelas, no existía la protección de los derechos de autor para los escritores. Esto significaba que cualquiera podía adaptar o usar textos sin permiso, sin tener que pagar al autor. Dickens se manifestó en contra de esta actividad. Sin embargo, no podía tomar muchas medidas en contra de la gran cantidad de adaptaciones teatrales que se hicieron de sus novelas durante su vida. Con frecuencia, estas adaptaciones dramatizaban tan sólo una parte de una novela o eliminaban algunos de los personajes. Desde entonces se mantiene la tradición de adaptar las novelas de Dickens para el teatro y posteriormente para la pantalla.

Este fotograma pertenece a la producción de *Nicholas Nickleby*, estelarizado por Nigel Havers y filmado por la BBC de Londres. La tercera novela de Dickens incluye a personajes como Wackford Squeers, el dueño del internado Dothebey's Hall; Smike, uno de los miserables habitantes de la institución, la compañía teatral Crummles y los Cheerybles.

ADAPTACIONES PARA LA TELEVISIÓN

El medio de difusión que más ha adaptado las novelas de Dickens ha sido la televisión, generalmente exhibidas en varios episodios semanales. *Nuestro común amigo* fue producida por la BBC y trasmitida en 1998. Fue estelarizada por Anna Friel como Bella Wilfer, Steven Mackintosh como John Harmon y Timothy Spall como el señor Venus. Un crítico comentó: "Julián Farino, el director de *Nuestro común amigo*, ha tomado del cuello una novela extensa y gloriosa y la ha convertido en una obra de arte para televisión."

GRANDES ESPERANZAS

En ocasiones, el argumento de una novela simplemente se utiliza como base de una película. Esto fue lo que ocurrió con la producción de 1998 de *Grandes esperanzas*. Aunque la película conservó el título original de la novela de Dickens y utilizó su argumento como punto de inicio, las situaciones fueron adaptadas en tiempos actuales, y ubicadas en la ciudad de Nueva York, y los nombres de los personajes fueron diferentes de los del libro. Ethan Hawke interpretó a "Finn" —Finnegan Bell— en una historia de amor hacia una mujer inalcanzable, Estella, interpretada por Gwyneth Paltrow.

¿SABÍAS QUE...

Dickens era una persona muy inquieta, con una energía aparentemente infinita? Solía caminar y caminar, y recorría distancias de 30 o 40 kilómetros sin parar.

veinte años después de rechazarlo, el primer amor de Dickens, María Beadnell, le escribió al famoso autor? Los antiguos enamorados decidieron reunirse, pero Dickens se decepcionó por la forma en que había cambiado María, a pesar de que ella le advirtió que estaba "gorda, vieja y fea". Dickens reprodujo a la joven María en el personaje de Flora de *La pequeña Dorrit*.

en 1865, Dickens recibió un regalo singular de su amigo y admirador, el actor suizo Charles Fechter? Se trataba de una cabaña suiza completa, de tamaño real, en 94 partes. Dickens la mandó montar en el jardín de Gad's Hill Place y con frecuencia trabajaba en ella durante los cálidos meses de verano.

Dickens era una celebridad de enormes proporciones durante su primera visita a Norteamérica, que las personas esperaban a los lados de las vías del tren en que viajaba con la esperanza de ver, aunque de forma fugaz, al famoso autor? Sin embargo, Dickens se cansó rápidamente de la interminable publicidad. Comentó: "No puedo... beber un vaso con agua, sin que cien personas se asomen por mi garganta cuando abro la boca para tragar..."

de niño, Dickens con frecuencia pasaba cerca de los imponentes muros de la prisión de Newgate en Londres, en donde se exhibían los cuerpos de criminales recientemente ahorcados? En una etapa posterior de su vida, asistió a un ahorcamiento público en la misma prisión.

cuando murió, Dickens dejó inconclusa su última novela, *El misterio de Edwin Drood*? Nadie sabe cómo pretendía terminar esta historia, de manera que la desaparición de Edwin continúa siendo un misterio hasta la fecha.

RECONOCIMIENTOS

Agradecemos a Elizabeth Wiggans por su colaboración y a David Hobbs por su mapa.

Créditos a fotografías e ilustraciones: s = superior, i = inferior, c = centro, iz = izquierda, d = derecha, p = portada, pi = portada interior, cp = contraportada.

Corbis: 2s, 3i, 4c, 7s, 9c, 13s, 19i, 21s, 24-25s, 26siz, 26-27, 30s, pi-1 y 30i. Mary Evans Picture Library: 3i, 4i, 5s y p, 6s, 6i, 14-15, 14i y pi, 16i, 17s, 18s, 18i, 19i, 20s, 20i, 22-23, 23s, 27s, 26-27. Alvey & Towers: 2-3. Image Select International Ltd: 2i. Art Archive: 3s, 7i, 24-25. National Portrait Gallery: 6-7, 12iz. Portsmouth City Council: 8s. Dickens House Museum: 8i, 8-9, 9s, 10i, 10c, 12i, 13s, 14i, 16s, 25i, 29s. Chris Fairclough Colour Library en Image Select International Ltd: 10siz. Gad's Hill Place: 15c. Bernardo's Photographic Archive: 18-19. Kobal Collection: 21i, 29c, 30-31s. UCL Westminster Abbey: 28s. Ronald Grant Archive: 29i. BBC: 30-31i.

Se ha hecho todo el esfuerzo posible para localizar a los poseedores de los derechos y pedimos disculpas anticipadamente por cualquier omisión involuntaria. Nos complacería insertar el reconocimiento correspondiente en cualquier edición subsiguiente de esta publicación.